D1030470